DISNEP · PIXAR
迪士尼　　皮克斯

赛车总动员
Cars

国际金奖
迪士尼电影故事
典藏系列
第一辑

童趣出版有限公司编　人民邮电出版社出版
北京

国际金奖

迪士尼电影故事典藏系列

金奖传奇

《赛车总动员》

上映时间:2006 年 6 月 9 日

影片荣誉

第 79 届奥斯卡金像奖(2007 年)最佳动画长片提名、最佳原创歌曲提名《Our Town》

第 64 届金球奖(2007 年)最佳动画片

第 34 届安妮奖(2007 年)最佳动画电影、最佳动画电影配乐

光辉记录

皮克斯公司(Pixer)成立 20 周年的纪念之作,迪士尼正式收购皮克斯的"强强联合"之作

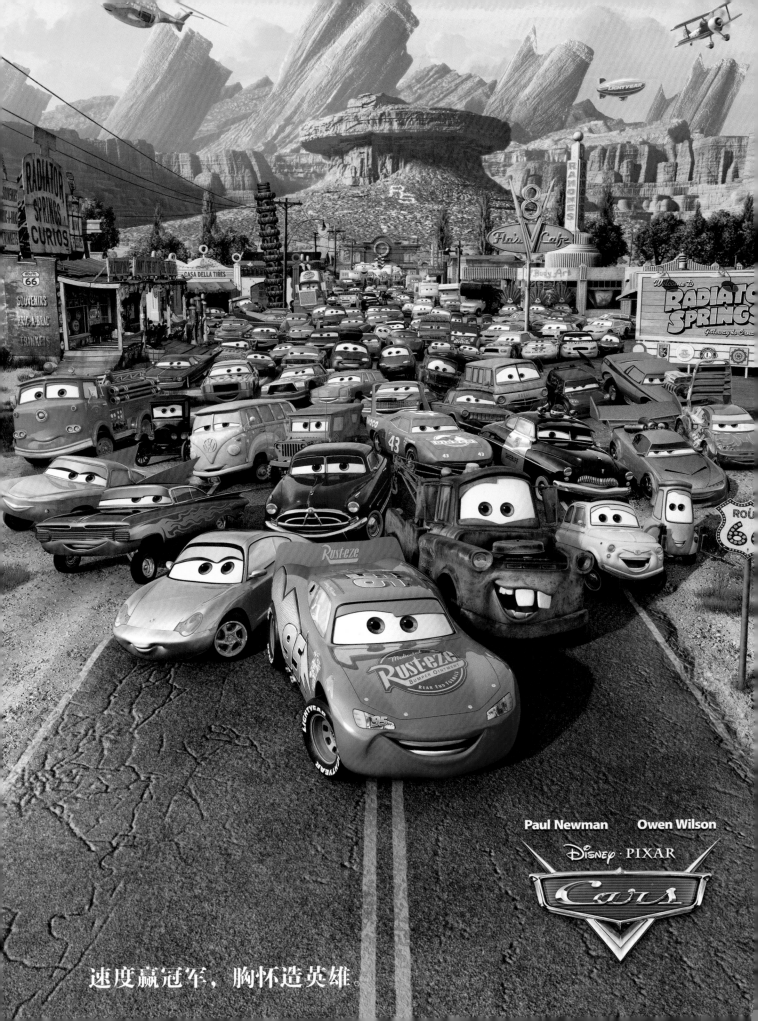

Paul Newman   Owen Wilson

Disney · PIXAR

Cars

速度赢冠军，胸怀造英雄。

"咔嚓咔嚓！"夺目的红，耀眼的红，刺激的红！没错，我是闪电麦坤，闪电麦坤就是我！

"活塞杯"汽车大赛就要开始啦，闪电麦坤将刷新历史，成为今年的新人冠军！因为我是快中快，强中强，我就是速度的化身！

准备好了吗？闪电来袭，好戏开演！

qí zi yáo xià   bǐ sài kāi shǐ   yì bǎi liù shí quān   quānquān chū zhuàngyuán
旗子摇下，比赛开始！一百六十圈，圈圈出状元！
wǒ jiā zú mǎ lì   chē lún fēi chí zài pǎo dào shang   duì dì yī míng de chē wáng jǐn
我加足马力，车轮飞驰在跑道上，对第一名的车王紧
zhuī bù shě   tū rán   hú zi dà shū lù bà cóng wài xiàn zhuī shàng xiǎngdǎng wǒ de lù
追不舍。突然，胡子大叔路霸从外线追上，想挡我的路？
hng   méi ménr
哼，没门儿！

yā hū　　kuài qiáo qiao lù bà kě xiào de mú yàng
呀呼！快瞧瞧路霸可笑的模样
ba　　jiàn wǒ qīng sōng tū pò tā de lián huán zhuàng jī bāo
吧，见我轻松突破他的连环撞击包
wéi quān　　yòu yí gè shǎn diàn jiā sù shuǎi tā lǎo yuǎn　jīng
围圈，又一个闪电加速甩他老远，惊
de tā hú zi dōu kuài diào dì shang lou
得他胡子都快掉地上喽！

MOTOR SPEEDWAY

PISTON CUP

"砰!"等等，什么声音？不，我的轮胎！唉，都怪我之前只顾超车，没在维修站换胎，这下糟了！眼看离终点线只有一步之遥了，不行，我得咬牙坚持住！火星四溅中，车王和路霸已双双追了上来，紧要关头我伸出了舌头……

　　　　bǐ sài jié shù　　　　jì zhě men lì kè tuán tuán wéi le shàng lái　　yào yǎn de shǎn
　　比赛结束，记者们立刻团团围了上来。耀眼的闪
guāng dēng quán dōu jù jiāo zài wǒ shēn shang　ō　wǒ fā shì cóng méi xiàng xiàn zài gǎn jué
光 灯全都聚焦在我身上，噢，我发誓从没像现在感觉
zhè me bàng guò
这么棒过！

　　　　　zhè chǎng bǐ sài jiù shì wǒ de gè rén xiù　　wǒ qíng bù zì jīn shuō dào
　　"这场比赛就是我的个人秀！"我情不自禁说道。
　　　　cōng míng de sài chē cóng bù dān dǎ dú dòu　　rán ér chē wáng jīng guò shí
　　"聪明的赛车从不单打独斗。"然而车王经过时，
diū xià zhè me yí jù huà
丢下这么一句话。

　　　　shén me　　wǒ kě shì shǎn diàn mài kūn　cái bù xū yào bié rén de bāng zhù　kàn
　　什么？我可是闪电麦坤，才不需要别人的帮助，看
wǒ bào le lún tāi zhào yàng suǒ xiàng pī mǐ
我爆了轮胎照样所向披靡！

在我的要求下，拖车阿麦载着我连夜赶往加州。他建议休息一下再走。那怎么行？一刻都不能耽误！经过第一场打成平手的战役，我已经迫不及待要在一个星期后的加州冠军赛上大显身手，夺得奖杯了。

rán ér zǎo zǎo jìn rù mèng xiāng de wǒ bù zhī
然而早早进入梦乡的我不知
dào yì bāng dǎo dàn fèn zǐ chèn zhe ā mài dǎ kē shuì
道，一帮捣蛋分子趁着阿麦打瞌睡
de shí hou qiāo qiāo kào jìn le
的时候悄悄靠近了……

děng wǒ qīng xǐng guò lái de shí hou　　wǒ yǐ jīng zài táo mìng le　　bù zhī hé shí wǒ
等我清醒过来的时候，我已经在逃命了！不知何时我
cóng ā mài de tuō chē li huá dào le chē lái chē wǎng de dà mǎ lù shang　　hǎo bù róng yì táo
从阿麦的拖车里滑到了车来车往的大马路上，好不容易逃
dào le　yì tiáo ān quán de xiǎo lù shang　　yòu yīn wèi chāo sù xíng shǐ bèi jǐng chē zhuī gǎn　　bài
到了一条安全的小路上，又因为超速行驶被警车追赶！拜
tuō　　wǒ zhǐ shì xiǎng zhuī shàng wǒ de huǒ ji ā mài a
托，我只是想追上我的伙计阿麦啊！

　　　　kuāng　　　　wǒ yì huāng zhāng　jìng yì tóu zāi jìn diàn xiàn wǎng　tóu
"哐！"我一慌张，竟一头栽进电线网，头

cháo xià bèi diào le qǐ lái　jǐng chē míng liàng de qián dēng cì de wǒ zhēng bu kāi
朝下被吊了起来。警车明亮的前灯刺得我睁不开

yǎn　āi　xiǎngxiang jǐ gè xiǎo shí qián sài chǎngshang de wǒ ba　tóngyàng shì
眼，唉，想想几个小时前赛场上的我吧，同样是

dēngguāng xià de jiāo diǎn　　chā bié zěn me jiù nà me dà ne
灯光下的焦点，差别怎么就那么大呢！

dì èr tiān yí dà zǎo wǒ jiù bèi yí liàng chē rú qí míng de tuō chē bǎn yá dài
第二天一大早，我就被一辆车如其名的拖车——板牙带

dào le zhè ge míng jiào shuǐ xiāng wēn quán xiǎo zhèn de fǎ tíng
到了这个名叫"水箱温泉"小镇的法庭。

fá nǐ bǎ zuó wǎn chāo sù xíng shǐ pò huài de lù miàn xiū hǎo fǎ guān hán dài fu
"罚你把昨晚超速行驶破坏的路面修好！"法官韩大夫

xuān bù le zuì zhōng de pàn jué
宣布了最终的判决。

这下小镇的居民们满意了，可是等等，让我堂堂赛车去
修路？有没有搞错？！

suī rán xīn lǐ yǒu yí wàn gè bú yuàn yì　　kě jì rán táo bu diào　　nà jiù yǐ zuì
虽然心里有一万个不愿意，可既然逃不掉，那就以最

kuài de sù dù gàn wán　　wǒ hái yào qù jiā zhōu bǐ sài ne　　hng　shùn biàn yě ràng zhè qún
快的速度干完，我还要去加州比赛呢！哼，顺便也让这群

yǒu yǎn bú shí tài shān de xiāng bā lǎo jiàn shi jiàn shi wǒ de　lì hai
有眼不识泰山的乡巴佬见识见识我的厉害！

<ruby>噼<rt>pī</rt></ruby><ruby>里<rt>li</rt></ruby><ruby>啪<rt>pā</rt></ruby><ruby>啦<rt>lā</rt></ruby>

"噼里啪啦"，说干就干，我轰响发动机，拉着身后的铺路车绝尘而去，沥青溅得到处都是。

méi xiǎng dào fǎ guān hán dài fu què sī
没想到法官韩大夫却丝
háo bù mǎi zhàng
毫不买账。
bù hé gé cóng tóu zài lái
"不合格！从头再来！"
tā bǎn zhe liǎn mìng lìng dào
他板着脸命令道。

hēi wǒ kě shì huó sāi bēi de wèi miǎn guàn jūn bú shì shén me xiū lù chē
"嘿！我可是活塞杯的卫冕冠军，不是什么修路车！"

wǒ fèn fèn de huí jī
我忿忿地回击。

ó tū rán tā méi mao yì tiǎo nà wǒ men jiù lái bǐ yì chǎng nǐ
"哦？"突然，他眉毛一挑，"那我们就来比一场，你

yíng wǒ fàng nǐ zǒu wǒ yíng nǐ jiù gěi wǒ lǎo lǎo shí shí de pū lù
赢，我放你走；我赢，你就给我老老实实地铺路！"

kě shì shéi néng xiǎng dào　　wǒ jìng rán shū gěi le hán dài
可是谁能想到，我竟然输给了韩大
fu　　jiù zài wǒ yí lù yáo yáo lǐng xiān　kuáng biāo dào yí gè jí wān
夫！就在我一路遥遥领先，狂飙到一个急弯
shí　　lún tāi què tū rán shī qù le kòng zhì　　wǒ yí xià cóng xié
时，轮胎却突然失去了控制，我一下从斜
pō shang shuāi le xià lái　　hé xiān rén zhǎng men lái le gè rè liè yōng
坡上摔了下来，和仙人掌们来了个热烈拥
bào　　　　hái shi hán dài fu ràng bǎn yá bǎ wǒ tuō le shàng qù
抱……还是韩大夫让板牙把我拖了上去。

愿赌服输，我回到镇上认认真真铺好了一段平整的新路。很快，大家都被吸引了过来，连韩大夫也似乎很满意呢！可是还有一件事令我放心不下。

我一个人又去了昨天比赛的地方，一遍遍地练习过急弯。

"提前左转，右向甩尾过弯。"韩大夫不知什么时候跟来了，冷不丁说。但我觉得他在胡言乱语，他哪里懂得赛车。

kě shì nǐ zhī dào ma　　wǒ jué de xiǎo zhèn jū mín duì wǒ de tài dù hǎo xiàng biàn
可是你知道吗？我觉得小镇居民对我的态度好像变
le　　bù jǐn lún tāi diàn de kǎ bù hé qí nuò zhǔ dòng tí chū wèi wǒ huàn xīn lún tāi　　lián bǎo
了！不仅轮胎店的卡布和奇诺主动提出为我换新轮胎，连保
shí jié shā lì dōu dài lái le xiāo fáng chē xiǎo hóng wèi wǒ chōng xǐ　　zhǐ bú guò　　ā ā
时捷莎莉都带来了消防车小红为我冲洗。只不过，"啊啊
ā　　néng bu néng bié zhè me dà jìnr
啊！"能不能别这么大劲儿！
shā lì rěn bu zhù gē gē xiào le qǐ lái
莎莉忍不住咯咯笑了起来。

28

到了晚上，傻大个儿板牙偷偷带我来到郊外的农场，
dào le wǎn shang shǎ dà gèr bǎn yá tōu tōu dài wǒ lái dào jiāo wài de nóng chǎng

玩吓唬拖拉机的游戏。结果，我们俩却被拖拉机之王吓得
wán xià hu tuō lā jī de yóu xì jié guǒ wǒ men liǎ què bèi tuō lā jī zhī wáng xià de

夺路而逃。多亏板牙及时教我用倒车镜迅速倒车，我才保
duó lù ér táo duō kuī bǎn yá jí shí jiāo wǒ yòng dào chē jìng xùn sù dào chē wǒ cái bǎo

住了小命。
zhù le xiǎo mìng

回到小镇，板牙和我相视而笑，实在太惊险刺激了！
huí dào xiǎo zhèn bǎn yá hé wǒ xiāng shì ér xiào shí zài tài jīng xiǎn cì jī le

<ruby>仿<rt>fǎng</rt></ruby><ruby>佛<rt>fú</rt></ruby><ruby>我<rt>wǒ</rt></ruby><ruby>俩<rt>liǎ</rt></ruby><ruby>一<rt>yí</rt></ruby><ruby>夜<rt>yè</rt></ruby><ruby>成<rt>chéng</rt></ruby><ruby>了<rt>le</rt></ruby><ruby>最<rt>zuì</rt></ruby><ruby>好<rt>hǎo</rt></ruby><ruby>的<rt>de</rt></ruby><ruby>朋<rt>péng</rt></ruby><ruby>友<rt>you</rt></ruby>，<ruby>当<rt>dāng</rt></ruby><ruby>我<rt>wǒ</rt></ruby><ruby>聊<rt>liáo</rt></ruby><ruby>起<rt>qǐ</rt></ruby><ruby>冠<rt>guàn</rt></ruby><ruby>军<rt>jūn</rt></ruby><ruby>梦<rt>mèng</rt></ruby><ruby>时<rt>shí</rt></ruby>，<ruby>板<rt>bǎn</rt></ruby><ruby>牙<rt>yá</rt></ruby><ruby>提<rt>tí</rt></ruby><ruby>出<rt>chū</rt></ruby><ruby>如<rt>rú</rt></ruby><ruby>果<rt>guǒ</rt></ruby><ruby>我<rt>wǒ</rt></ruby><ruby>实<rt>shí</rt></ruby><ruby>现<rt>xiàn</rt></ruby><ruby>了<rt>le</rt></ruby><ruby>愿<rt>yuàn</rt></ruby><ruby>望<rt>wàng</rt></ruby>，<ruby>也<rt>yě</rt></ruby><ruby>要<rt>yào</rt></ruby><ruby>帮<rt>bāng</rt></ruby><ruby>他<rt>tā</rt></ruby><ruby>实<rt>shí</rt></ruby><ruby>现<rt>xiàn</rt></ruby><ruby>一<rt>yí</rt></ruby><ruby>个<rt>gè</rt></ruby><ruby>愿<rt>yuàn</rt></ruby><ruby>望<rt>wàng</rt></ruby>——<ruby>乘<rt>chéng</rt></ruby><ruby>坐<rt>zuò</rt></ruby><ruby>一<rt>yí</rt></ruby><ruby>次<rt>cì</rt></ruby><ruby>直<rt>zhí</rt></ruby><ruby>升<rt>shēng</rt></ruby><ruby>机<rt>jī</rt></ruby>！

"<ruby>没<rt>méi</rt></ruby><ruby>问<rt>wèn</rt></ruby><ruby>题<rt>tí</rt></ruby>！"<ruby>我<rt>wǒ</rt></ruby><ruby>一<rt>yì</rt></ruby><ruby>口<rt>kǒu</rt></ruby><ruby>答<rt>dā</rt></ruby><ruby>应<rt>ying</rt></ruby>。

莎莉也约我去兜风。沿路的风景很美，我们一路嬉戏、玩耍，我发现我开始爱上这个地方了。莎莉告诉我，虽然小镇没有她从前生活的大城市繁华，但是她喜欢和大家一起生活在这里。

"从前的公路顺着地形走，有起有伏，"莎莉看着远方轻轻说，"车辆行驶在路上，是种享受。"

　　"后来仅仅为了节省十分钟的路程，新建的公路绕开了小镇。从此，这里就变得冷冷清清了。"但乐观的莎莉笑着看向我说，"总有一天我们会让它重新繁荣起来的！"

　　我很感动，但心里还有个谜急需解开。

shì qing shì zhè yàng de　　nà tiān zǎo shang　　wǒ wú yì zài hán dài fu de bàn gōng shì fā
事情是这样的，那天早上，我无意在韩大夫的办公室发

xiàn le　　　　sān zuò　　huó sāi bēi　guàn jūn jiǎng bēi　　hán dài fu jìng rán shì chuán shuō zhōng
现了……三座"活塞杯"冠军奖杯！韩大夫竟然是传说中

de sān lián guàn　　kàn zhe bèi dàng chéng gōng jù tǒng yòng de jiǎng bēi　　wǒ jīng dāi le
的三连冠！看着被当成工具筒用的奖杯，我惊呆了。

zhè ge mì mì zài wǒ xīn lǐ zhà kāi le guō　　dào le xià wǔ　　wǒ zǒng suàn dà kāi yǎn
这个秘密在我心里炸开了锅。到了下午，我总算大开眼

jiè le　　dú zì zài shā mò shang liàn xí sài chē de hán dài fu jiǎn zhí shuài dāi le　　hòu lái
界了。独自在沙漠上练习赛车的韩大夫简直帅呆了！后来

wǒ cái zhī dào　　hán dài fu bìng fēi wǒ yǐ wéi de zhǔ dòng fàng qì le sài chē　　ér shì fù
我才知道，韩大夫并非我以为的主动放弃了赛车，而是负

shāng hòu bèi wú qíng de yí wàng le
伤后被无情地遗忘了。

dì èr tiān   lù quán bù xiū hǎo le   kě dà jiā què dōu shī luò de kàn zhe
第二天，路全部修好了。可大家却都失落地看着

wǒ   shì de   lí bié de shí hou jiù yào dào le
我，是的，离别的时候就要到了。

děng děng   wǒ zhuǎn xiàng kǎ bù hé qí nuò   nǐ men bú shì yào gěi
"等等！"我转向卡布和奇诺，"你们不是要给

wǒ huàn lún tāi ma
我换轮胎吗？"

kǎ bù lì mǎ shén cǎi fēi yáng   tāo tāo bù jué de shuō qǐ lái   ō   shì
卡布立马神采飞扬、滔滔不绝地说起来："噢，是

de shì de   nǐ yí dìng yào jiàn shi jiàn shi wǒ men qí nuò de jì shù   bǎo zhèng zuì
的是的，你一定要见识见识我们奇诺的技术，保证最

duǎn de shí jiān tí gōng zuì yōu zhì de fú wù
短的时间提供最优质的服务……"

méi cuò   kàn zhe huàn rán yì xīn de chē shēn   wǒ mǎn yì jí le
没错，看着焕然一新的车身，我满意极了！

夜幕降临，小镇却华灯闪耀。大家都打扮得漂漂亮亮，开在崭新的路面上，小镇仿佛回到了莎莉记忆中的美好时光。

"你看上去很帅哟！"莎莉笑着对我说，"你知道吗？这一切都要感谢你。"

看着朋友们的笑脸，我为自己的工作感到自豪！

　　"轰隆隆"，突然，我们头顶出现了好几架直升机。转眼，我已被突如其来的记者们围在了中心。

　　"上车吧，兄弟！我找你找得好辛苦啊！"阿麦也来了，说着，就朝我开启了车门。

　　"等一下！"

wǒ fèi lì de jǐ chū lái　　zhǎo dào le jiǎo luò li de shā lì　　cǐ kè tā de
我费力地挤出来，找到了角落里的莎莉，此刻她的
yǎn jing li chōng mǎn le bēi shāng　yí qiè lái de zhè me tū rán　　wǒ yí jù huà yě
眼睛里充满了悲伤。一切来得这么突然，我一句话也
shuō bù chū lái le
说不出来了。
zhōng yú　shā lì xiān kāi le kǒu　　zhù nǐ hǎo yùn　yǒu zhì zhě shì jìng chéng
终于，莎莉先开了口："祝你好运，有志者事竟成。"
shuō wán biàn tóu yě bù huí de lí kāi le
说完便头也不回地离开了。

就在我怎么也集中不了精神时，一个熟悉的声音突然传入了耳机："小子，我可不是大老远来看你输的！"是韩大夫！他的身边还有小镇的其他朋友们！

fā shēng le nà me duō shì hòu wǒ gǎn dào zài shuǐ xiāng wēn quán zhèn de
发生了那么多事后，我感到在水箱温泉镇的
yì zhōu hǎo xiàng yì nián nà me cháng cháng de wǒ xiǎng wàng yě wàng bú diào cǐ
一周好像一年那么长，长得我想忘也忘不掉。此
kè jí biàn wǒ yǐ shēn zài sài chǎng ér xīn què sì hū liú zài le xiǎo zhèn
刻，即便我已身在赛场，而心却似乎留在了小镇，
liú zài le péng you men shēn biān huǎng huǎng hū hū de wǒ yǐ jīng bèi chē wáng
留在了朋友们身边。恍恍惚惚地，我已经被车王
hé lù bà yuǎn yuǎn shuǎi zài le shēn hòu
和路霸远远甩在了身后。

来不及和远处的大家伙儿道别，我就被阿麦带走了。
后来板牙告诉我，我离开后，一位记者过来感谢韩大夫，
原来是他通知了记者来找我，而莎莉得知后很生气。

qí nuò gèng shì zhēng fēn duó miǎo wèi wǒ jiā mǎn le qì yóu
奇诺更是争分夺秒为我加满了汽油。

xiàn zài nǐ yǐ jīng yǒu le zuì bàng de tuán duì nǐ yě yào ná chū xiū lù de rèn zhēn
"现在你已经有了最棒的团队，你也要拿出修路的认真

jìnr lái sài chē hán dài fu yì yǔ diǎn xǐng mèng zhōng rén
劲儿来赛车！"韩大夫一语点醒梦中人。

瞬间，我的心“怦怦”跳个不停，发动机也“嗡嗡”地越来越响，车轮更是急不可耐地要飞起来。对，就是现在！看看我麦坤的真本事吧！

“嗖”地一下，我如箭一般飞射出去。车行到前方一个急弯处，韩大夫的口诀一下子蹦进了我的脑袋里。一片欢呼声中，我以一记漂亮的甩尾稳稳转过急弯，顺利超越了对手们。

lí zhōngdiǎn xiàn zhǐ yǒu yí bù zhī yáo le   shèng lì shì wǒ de le
离终点线只有一步之遥了，胜利是我的了！

pēng   yì shēng jù xiǎng zài wǒ shēn hòu zhà kāi   bú shì ba   nán dào wǒ
"砰！"一声巨响在我身后炸开。不是吧！难道我

de lún tāi yòu bào zhà le   tòu guò hòu shì jìng   wǒ kàn dào shì chē wáng   tā bèi lù
的轮胎又爆炸了？透过后视镜，我看到是车王，他被路

bà hěn hěn de zhuàng dào le cǎo dì shang shāng shì cǎn zhòng
霸狠狠地 撞 到了草地上，伤势惨重！

令所有观众大跌眼镜的是，我突然一个急刹车，娴熟地倒了回去。

路霸毫无悬念地成了第一名。然而，当我慢慢地推着车王驶过终点线时，赛场上却爆发出震耳欲聋的欢呼声。

"孩子，你知道你错过了什么吗？"车王喘息着问我。

想到韩大夫那落满灰尘的奖杯，我平静地回答说："不过是个空杯子。"

比赛一结束，我便毫不迟疑地回到了水箱温泉镇。迎接我的是微笑的莎莉。

突然，一个大嗓门从我们头顶传来："哟嚯！兄弟，看我！"原来是板牙。

没错，我没当成冠军，但却没忘帮好朋友实现坐直升机的愿望！

shān lù qí qū wān yán ér shāndǐng de fēng jǐng yī jiù měi bú shèngshōu
山路崎岖蜿蜒，而山顶的风景依旧美不胜收。
xī yáng de róu guāng wēn nuǎn de lǒng zhào zài wǒ men shēn shang wǒ xiān yàn duó mù
夕阳的柔光温暖地笼罩在我们身上，我鲜艳夺目
de hóng sè wài yī sì hū yě biàn chéng le róu hé de fěn sè wǒ zhī dào wǒ
的红色外衣似乎也变成了柔和的粉色。我知道，我
shǔ yú zhè lǐ
属于这里。